자연을 꿈꾸는 꼬마 작가들

자연을 꿈꾸는 꼬마 작가들

발 행 | 2024년 1월 2일
저 자 | 행복나눔 3-7반
편 집 | 박은주
펴낸이 | 한건희
펴낸곳 | 주식회사 부크크
출판사등록 | 2014.07.15.(제2014-16호)
주 소 | 서울특별시 금천구 가산디지털1로 119 SK트윈타워 A동 305호
전 화 | 1670-8316
이메일 | info@bookk.co.kr

ISBN | 979-11-410-6360-3

www.bookk.co.kr

자연을 꿈꾸는

꼬

마작가들

행복나눔 3학년 7반 지음

자연을 꿈꾸는 꼬마 작가들

글·그림 3학년 7반 친구들

CONTENT

자연을 사랑하며, 꿈을 꾸는 3학년 7반 꼬마 작가들에게.

봄이 오는 길목 3월부터 흰 눈이 가득한 12월의 학교 텃밭은 우리 친구들에게 친한 벗이 되어 주었습니다. 우리 친구들도 일 년 동안 배우며, 많은 성장을 이루었습니다. 그동안 우리 친구들이 보고, 듣고, 경험했던 모든 삶이 아름다운 시로 탄생했습니다. 어려울 때도 있었지만 나의 생각을 꺼내 한 글자, 한 글자 정성껏 글로 표현해준 모든 친구들에게 박수를 보냅니다.

내게 주어진 삶을 사랑하고, 감사하면서, 나의 생각들을 기록하는 습관이 계속 이어지길 바랍니다. 언제 어디서나 '심는 대로 거두는' 자연의 진리를 깨달아 좋은 것을 선택하고, 날마다 글쓰기로 마음에 새기길 바랍니다. 여러분들이 종이 위에 쓰는 기적은 반드시 이루어질거라 믿어요.

이 책을 받을 때 쯤에도, 친구들이 지난 12월 땅에 심었던 마늘이 추운 겨울을 이기고 있을거에요. 얼음처럼 단단하고, 캄캄한 땅속에서 묻혀 있던 마늘이 봄이 되면 뿌리를 더 깊이 내리고, 여린 새싹이 땅을 헤집고 나와 싹이 커서 더 많은 마늘을 맺을 것입니다. 주어진 환경에 최선을 다해 자라는 마늘처럼, 인내하며 여러분의 꿈을 이루길 바랍니다.

친구들이 쓴 글들은 밤 하늘의 별처럼 언제나 여러분 곁에서 빛을 발하고 있답니다. 자연을 사랑하고, 친구를 사랑하고, 꿈을 꾸며 즐겁게 생활했던 3학년 7반 친구들을 늘 응원하겠습니다. '사랑하는 3학년 7반 친구들에게 이 책을 선물합니다.

행복나눔샘 박은주

제1화 봄이 오는 길목에서

봄 친구들의 파티

-엄소윤-

뜨듯 뜨듯 봄 햇살이 봄이 왔다고 알려요.

어느 날 구석에서 북적북적 소리가 들려요.

꿀벌이 꿀을 배달 중이네요.

민들레가 사랄랄라 피어나요.

노란색 솜털 같아요.

매화꽃이

한 소녀의 치마처럼

가득 피었어요.

민들레 친구

-박 윤 서 -

따스한 봄 햇살이 꽃을 피우네

민들레 한 송이 활짝 피었네

몰래 활짝 피어서 햇살 받네

민들레 한 송이 너무 예뻐 따라 그렸더니

민들레 웃으며 친구 데려왔네.

냉이꽃

-엄 소 윤 -

학교 텃밭에 작고 작은 하얀색 꽃 한 송이

어디서 많이 보았는데

어? 냉이꽃이네.

달걀처럼 노릇노릇 구워졌네.

봄 날 산수유

-곽설아-

산수유나무에
조그만 체리가 흔들흔들
우리가 나오니 새가
반갑다고 짹짹

산수유를 보니
침이 꼴깍꼴깍
산수유에 노란 콩나물 꽃이 피었네
꿀이 많아 벌이 좋아할 것 같아.
나도 한번 먹어보고 싶어.

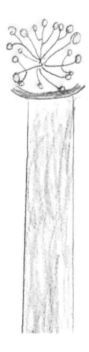

매화꽃 드레스

-최 가 온-

매화꽃이 봄바람에 살랑살랑
벌 소리가 위이위잉

친구들의
하하호호 웃음소리

꽃 냄새가 싱글싱글
바람 소리가 쉬익쉬익

매화나무 껍질이 지칠지칠
드레스처럼 환한 꽃이 나타났다.

매화꽃

-김 경 민-

매화꽃이 봄바람에 살랑살랑
벌들이 반갑다고 매화꽃에서 왜앵왜앵
콩나물처럼 생긴 매화꽃
네가 처음 피었구나!

연두색 매실

-김 태 영-

생존수영 끝나고 찾아 본 매실
매실은 노랑, 연두, 초록색이다.
내 것은 연두색 매실
만질수록 보들보들 느낌이 좋아.

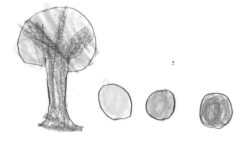

매실 열매

-황 소 원 -

봄이 지나 여름이 시작되자
반짝 초록 매실이 열렸다.
바람이 불면 후두둑 떨어진다.
매끈매끈
보들보들
까슬까슬
밟으면 부스륵 부서진다.

감자처럼 둥글둥글
갈색 꼭지
꼭 작은 아보카도 같아.

힘이 센 매실나무

-권 지 율-

동글동글 데구르르
매실나무 밑에서 주웠네.
꼭 작은 사과 같은 매실
흔들면 더 떨어질까?
어, 안 흔들리지?
꿈쩍도 않는 매실나무
너 참, 힘이 세구나!

매실 관찰

-최 랑-

오늘 본 매실이 모두 연두, 초록, 모두 나뭇잎 색이다.
매실은 왜 초록색일까?
매실차를 먹을 수 있다는데 진짜일까?
매실차는 무슨 맛일까?
한 번도 먹어 본 적 없어서 궁금하다.

공 같은 매실

-이유준-

매실나무 매실이
또르르 굴러간다!
보들보들한 초록색 공이
땅바닥에 후두둑
여기저기 떨어진다.
매실 공 한 번 뻥 차보고 싶다.

얼마나 맛있으면….

-박준영-

배추흰나비들이 매실 나무에 붙어
꿀을 쪽쪽 빨아먹는다.
얼마나 맛이 있을까?
내가 가까이 다가가도 도망가지 않는다.
지난 번 우리 반에서 놓아준 삼칠이인가?
내가 무섭지도 않나.
꿈쩍도 안하고 꿀을 먹는다.

5월의 열매들

-최 준 호 -

3월에 꽃들이 살랑살랑
5월에 꽃잎은 바람에 휠휠

꽃잎이 지고, 매실이 열렸다.
털이 보들보들
살살 만졌더니 솔솔

언제 열렸는지
산수유 열매는
아직 초록초록하고 길쭉길쭉하다.

앵도 열매는
시뻘건 빨간색이 반짝반짝거린다.

매화꽃 팝콘과 민들레

-박 유 나-

점심 먹고 뒤뜰로 갔는데 친구들이 시끌벅적

텃밭에 매화꽃 팡팡!

뜨거운 햇살에 매화꽃 튀겨지네

빨리 튀겨져라

매화꽃아. 얼른 더 많이 보게

풀밭에 작은 민들레 한 송이

친구가 없어서 외로워 보여.

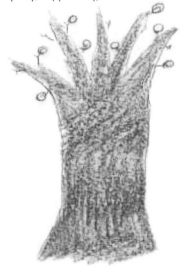

이제 진짜 봄

- 최 준 호 -

대나무, 조팝, 왕벚나무, 봄까치꽃, 수선화, 배추꽃이 피었다.
산수유, 매화꽃, 민들레는 다 졌다.
조팝나무꽃 가운데 꿀이 있다.
매화꽃에 벌이 꿀을 뚜두둑 가득 딴다.

산수유 겨울 눈이 가시처럼 쭉 나왔다.
산수유 열매가 빨간 돌처럼 단단하다.
어디선가 쑥 냄새가 솔! 솔!

텃밭에 마늘이 나오려고 열심

우리도 어서 먹고 크라고
바삭한 돈까스가 급식실에서 나왔다.
친구들이 신난다고 헐레벌떡

장미꽃

-소 수 호 -

장미가 학교 앞 담장에
사르르 피었다.
이 예쁜 장미를
할머니에게
선물하고 싶다.

장미꽃과 벌

-김 시 은 -

장미꽃이 빨강색으로 물들었네
장미꽃을 보려고 가까이….
벌이 윙윙 날아와서는
꿀을 후루룩 먹고는 도망간다.
윙윙윙윙, 앗! 깜짝이야.
벌들은 역시 무서워

장미꽃과 삼칠이

-박 담 후-

학교 텃밭 담장에 있는 장미
나무에 꼭꼭 붙어서 피었다.
나무를 만지면 가시가 박힌다.

장미를 볼 때마다
배추흰나비 삼칠이를 매일 본다.
삼칠이도 예쁜 장미를 좋아하나 봐.

삼칠이는 알까?
나도 삼칠이를 좋아한다는 걸….

빨간 장미

-문 시 훈-

잘 익은 사과처럼
우리 학교 앵도 열매처럼
발그레한 내 얼굴처럼
빨간 장미꽃

누가 이렇게 아름다운 꽃을 만들었을까?
날마다 나에게 선물하고 싶다.

지렁이

-장 주 희 -

공벌레를 찾다가 지렁이를 잡았다.
원래는 꿈틀꿈틀
이리 저리 요리 저리 가야 하는데
끝부분은 빨갛고 움직이지 않는다.

너무 놀라 툭툭 쳐 보았다..
그래도 꼼짝을 안 한다.

자고 있는 걸까?

가만히 있는 지렁이가 신기하다.
잘 자라고 제자리에 가만히 놓아주었다.

조팝나무

-김 민 규-

하얗고 원 모양인 조팝나무꽃
길쭉하고 갈색빛이 도는 나뭇가지
사자의 갈기 같은 조팝나무꽃
어디선가 사자가 나올 것만 같아.

대나무 숲

-김 태 영-

대나무 주변에 배추흰나비가 팔랑팔랑
대나무숲에 바람이 휘익 휘이익
대나무와 바람이 부딪혀 스르르 스르르

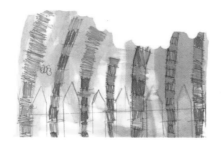

개망초꽃

-강지오-

생존수영을 가다 본 개망초꽃
노랗고, 보랏빛이 나는 개망초꽃이
너무 아름다웠다.
할머니에게 드리고 싶다고 했더니
선생님이 잔뜩 꺾어주셨다.

매실과 배추흰나비

-김 경 민 -

아이들이 매실을 따려고
우다다다
매실나무 주변에 우르르 몰려있다.
배추흰나비가 팔랑팔랑
우리 반 뽀로로[1]가 우리 보러 왔나 보다.

배추흰나비 삼칠이

-윤 채 아 -

점심 먹고 나니 배추흰나비가 날아다닌다.
혹시 삼칠이?!
아, 아니네. 힝 실망했네.
그건 먼지였어.

---

1) 3학년7반 친구들이 키우던 배추흰나비 애칭 '뽀로로', '삼칠이'

배추흰나비 꼬물이

-김민규-

배추흰나비를 봤다.
설마 우리가 풀어준 꼬물이~
꼬물이가 하얗게 빛나고
노랗게 빛까지 내고
푸드득 난다.
우리가 풀어준 꼬물이가 반가워서
파닥파닥
꼬물이를 다시 봐서
내 마음도 파닥파닥

삼칠이

-김 시 우 -

점심시간에 나갔다 갑자기 우리 반 삼칠이가 보였다.

인사를 했는데 안 받아준다.

서운하다

나는 인사를 했는데

배추흰나비 뽀로로

-정 재 호 -

점심시간에 만난 하얀 배추흰나비
우리 반이 지난번 보내준 뽀로로인가?
잠시 내 눈에 어른거리더니
금방 사라지네.
뽀로로야, 다시 다시 돌아오면 안 되겠니?
뽀로로가 가 버렸다.

뽀로로님 나가신다.

-김 수 찬 -

우리반의 연예인 뽀로로님!
사육상자 안에서
알로 만나 애벌레에서 번데기 거쳐
이젠 펄럭펄럭 자유 몸이 되셨다.
이제 점심시간에 나갈 예정이시다.
길을 비켜라.

나비가 된 먼지에게

-박유나-

애벌레가 번데기 된 날

다들 열심히 먹고 있는데

"우와! 번데기다."

1번 형님이 번데기가 되었어!

친구들 모두 흥분해서 보려고 줄 서네.

빨리빨리 나비 돼서

가거라 번데기야

먼지에게

먼지야, 안녕? 나는 너를 관찰하는 유나야.

알일 때는 빨리 애벌레가 태어나길 바랐어.

애벌레일 때는 아주 돌발상황이 많았지.

물에 빠지고, 떨어지고, 난리도 아니었지.

네 이름이 먼지인 이유는 네가 어딜 자꾸 번지 점프하려고

하고, 좀 작아서 알아보기 위해서 이름을 지어주었어.

이제 자연 속으로 잘 가! 안녕?

유나가

제2화 여름이 오는 소리

홍감자 열매

-김수찬-

5분 동안 관찰을 한다
바람이 쌩쌩 분다.
나무만 흔들거린다.
아무리 기다려도
감자는 안 보인다.
언제 열리지?
궁금한 관찰 시간

요술쟁이 감자

-엄 소 윤-

감자는 요술쟁이

요리 보면 울창한 숲에 있는 나무 같기도 하고

저리 보면 우뚝 솟은 대나무 같기도 하고

불어오는 바람 피하려고 흔들흔들 콩콩

소리도 참 맑네

홍감자

-김 민 규-

갈색빛을 내는 흙이 묻었다.

물로 씻으니 빨간 빛을 낸다.

빨간 사과 맛있겠다.

홍감자꽃은 분홍색

-공 도 윤-

홍감자가 쑥쑥 자란다.

예전에 심을 때는 감자에 뿌리밖에 없었는데

지금은 무릎 위까지 올라갈 것 같다.

이제 꽃도 필 것 같다.

선생님께서 꽃이

홍감자 색깔과 똑같이 분홍색이라고 하셨다.

정말 그럴까?

빨리 홍감자꽃 보고 싶어.

홍감자 캐는 날

-강 지 오-

감자를 캐는데 벌써 맛있는 냄새가 진동하는 것 같다.

할머니에게 감자전 부쳐 달라고 해야지

아주 빨간 사과 같아.

도대체 무슨 맛일까?

감자 정글

-손 우 준 -

이게 정글인지 감자인지
구별이 안 될 정도로 쑥쑥 컸네.
아프리카 같은 정글이 되어
벌레, 곤충들이 후덜덜 떨고 있네.
내 감자는 모두 네 나무

감자 숲

-조 은 서 -

감자 잎이 주렁주렁
끝없이 자라는 감자잎이
우리처럼 해를 반기네.

지난번엔 아주 작은 새싹이었는데
감자 숲이 되어 쑥쑥 자란다.
감자야, 어서 꽃을 피워주렴.

감자꽃 따기

-박유나-

드디어 감자꽃이 핀 홍감자

색이 연하듯 찐한 보라색

그냥 잡초 냄새

맨들맨들 부들부들

선생님께서 감자꽃은 따야 한다고 해서

다 따주었다.

꽃이 영양분을 다 가져가면 감자가 잘 열리지 못한대.

감자가 땅속에서 얼마나 컸을까?

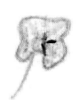

감자  나무

-장 라 윤-

감자 줄기가 살랑살랑
흔들리는 게
마치 산에 있는 나무 같다.
살랑살랑

조금만 바람이 불어도 살랑살랑

정말 예쁘다.

감자들이 얼른 생겼으면….

감자 심은 날

-김 지 우-

오늘은 처음 감자 심는 날
콩닥콩닥 내 몸보다 들뜬 내 심장
"남학생 1~10번까지 오세요."
선생님이 남학생을 불렀다.
"여학생 30~40번까지 오세요."
드디어 내 차례, 난 35번이다.
할머니, 할아버지 밭에서 일을 많이 했지만
오늘은 냄새, 햇빛이 밝았다.
"아이 더워"
손을 휘휘 저어가면서 성공
빨리 내가 심은 감자를 냠냠 먹고 싶다.
'감자야 빨리 자라라. 수리수리 마수리'

방아깨비

-강 지 오-

처음 잡은 방아깨비
너무나 좋아 집에 데려가고 싶었네
선생님이 놓아주라고 해서
어쩔 수 없이 방아깨비한테 인사를 하고 놓아주었네
'방아깨비야, 만나서 반가웠어.'

호랑이 강낭콩

-박 담 후-

누가 가져갈까 봐
호랑이 무늬를 입었구나.
강낭콩이 커지면 무늬도 커지겠네.

아기 수박에게

-박 유 나-

수박이 왔어요~
내 주먹만 한 아기 수박이 왔어요.
빨간색 수박이 익고 있어요.
빨리 익어서 먹고 싶은
아기 수박

빨갛게 익어서 복수박
밀키스에 사과 담가서
맛있게 화채 만들었네.
네가 잘 커 주어서 먹을 수 있었어.

아기 수박아,
너 정말 달달하고 맛있더라.

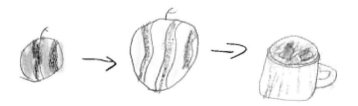

내 손만한 아기 수박

-곽설아-

내 손만 한 아기 수박
귀엽기도 하네

처음 열린 여름 과일
강가에 앉아 시원하게 수박 한 잎 먹고 싶다.

달콤하겠다.

솜털에 둘러싸여 있는 아기 수박
우리 아빠 털인 것 같네.
집에 가서 꼭 수박 먹어야지.

우리 반 수박 화채 수영장

-권 지 율-

우리 학교 텃밭에 대롱대롱 매달린 복수박
내 머리만 한 복수박을 언제나 딸까?
드디어 오늘 수박을 따는 날이다.

정말 잘 익었을까? 가슴이 콩당콩당
수박 속이 궁금해서 못 참겠다.
드디어 속 보여준 수박 속살
여름 햇살을 다 받았나 봐
빨갛게 까맣게 다 익었다.

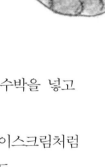

친구가 가져온 음료수에, 자른 수박을 넣고
한 컵 담아 한입에 먹는다.
1초도 안 되어 사르르 녹는 아이스크림처럼
내 입속에 수박 수영장이 한가득
아, 벌써 여름이 내 입에서 시작되었다.

그런데 수박인데 왜 딸기 맛이 나지?

수박 꽃

-김 경 민-

언제나 수박이 열릴까?
날마다 수박꽃을 보고 있다.
쭈글쭈글 할머니처럼 생겼다.
할머니가 보고 싶다.

어느새 수박꽃이 지고
아주 조그만 수박이 열렸다.
수박 겉에 쪼그만 털이 나 있고,
연하게 엄청 연하게 검은색 줄이 있었다.

이렇게 조그만 수박은
세상에서 처음 보았다.

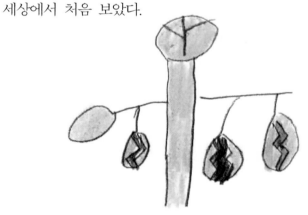

텃밭 체험

-이 유 준 -

오늘은 텃밭에 모종 심는 날
오이를 심고, 토마토를 심고
물 조리개에 한 가득 받아와
물을 졸졸졸 넘치게 준다.
흙이 질퍽질퍽
으 끈적끈적
헉, 새로 산 내 신발 ㅠㅠ

내 땅콩의 꽃

-권 지 율 -

내 땅콩꽃이 피었네
노랗고 예쁜 내 땅콩꽃
꼭 하늘로 날아갈 것 같은 노란 우주선 같네
다른 친구들 땅콩에도 노란 우주선이 있네.
꽃이 더 피면 좋겠네.

오이꽃과 오이

-박유나-

상큼한 노랑색
예쁜 다섯 잎
잎이 하나 더 생긴 개나리
바닥으로 사르르 떨어진 별
주름이 쫙쫙 펴졌으면 좋겠네.

조금 연한 초록색 오이
내 물통만큼 길고
꼭 초록색 달 같아

허리 구부러진 오이
허리 아프지 않니?

계란 후라이 개망초

-권 지 율 -

보라 보라 보라색 개망초
보라색 미니 코스모스 같다.
하양 하양 하얀색 개망초
방금 된 계란 튀김 같다.
하얀색과 약간의 보라색이 있는 개망초
별들이 계란 후라이의 노른자를 먹을려고 한다.
꽃들이 빨리 먹어달라고 몸을 흔들흔들 움직인다.

개망초꽃

-박 유 나 -

고슴도치 가시처럼 뾰족뾰족한 하얀 꽃잎
노란색 노른자 같은 동그라미
계란 꽃인 줄 알았는데
개망초라는 것이네
이름이 신기해

아!
개망초 꽃
이구나.

텃밭 마늘 캐기

-곽 설 아-

선생님이 텃밭에서 마늘을 캔다고 하셨다.
마늘을 캘 때 뿌리가 나오면서
흙이 후두둑 후두둑
비처럼 떨어졌다.

마늘이 아주 매콤 매콤해서
눈이 따끔따끔

텃밭에서 무엇을 캐는 것은 아주 재밌다.

모기 물린 토마토

-권 지 율-

토마토야, 왜 이렇게 빨게?
모기 물렸니?
빨갛게 익은 토마토는 모기 물린 토마토
초록색 토마토는 모기 안 물린 토마토
모기에게 물렸으면 따줄게
나한테 오렴.

동글동글 공벌레 파티

-엄 소 윤 -

동글동글 공벌레 꼬물꼬물 작아서 찾기도 어렵다.

잽싸게 슝슝 도망간다.

친구들이 모두 공벌레 잡으려고 눈을 번쩍! 번쩍!

눈도 참 크네.

공벌레가 공이 되면 시계 같아.

째깍째깍 소리 날 수도 있겠다.

손에 올리면 간질간질

웃음이 절로 나온다.

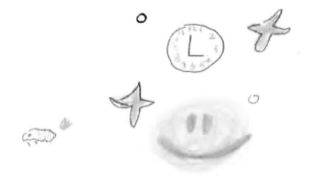

대왕 U자 오이 하나

-최 준 호-

오늘 텃밭에 오이 하나 벌써 열렸네.

선생님이 '쏙' 뽑았더니

대왕 U자 오이 하나

U자가 영어책에서 몰래

파 팟 퍽하고

영어책

종이 한 장 뜯어

터벅터벅 걸어 들어가서

오이한테 쏙! 불쑥! 들어왔나 봐

오이꽃

-박윤서-

별이 떨어졌네
알고 보니 별 모양 꽃이었네

별처럼 생긴 이것은 오이꽃이었네
노란 별 아래 길쭉한 오이 있네.

꽃이 많아지면 좋겠네
꽃 안에 아기가 있을 테니

엄마가 아이를 안는 것처럼
꽃도 쑥쑥 크네

우리 학교 텃밭 꽃들

-권 지 율 -

우리 학교 텃밭 꽃
참외꽃이
우리 텃밭이 바다인 줄 알고 왔나봐.
노란 불가사리처럼 가득하네.

네 잎 클로버꽃
동글동글한 폼 같네
친구들과 같이 네잎 클로버를 찾고 싶네.
누가 만들기 재료인 줄 알고 갖고 왔나 봐.

고추꽃 꼭 예쁜 하얀 드레스 같네.
고추꽃도 예쁘게 입고 싶어서 갖고 왔나 봐.
난 고추를 싫어하는데 꽃은 예쁘네.

우리 학교 텃밭 꽃

-엄소윤-

우리 학교 텃밭 수박꽃은 노랑색 별
밤에 우리 텃밭에 떨어졌나 봐.

땅콩꽃

아기 땅콩 심심할까 봐

땅속에서 망고 같은 땅콩꽃이 나왔네

방울토마토꽃

노랑색 등불 같아

캄캄해지면 빛을 밝힐 거야.

고추꽃

-김 지 우-

가려 가려
고추꽃
아기 고추 더울까 봐
고추 위에
우산 씌워 주었네.

우산 고추꽃

-박 담 후-

고추꽃이 하얀 우산 같다.
흐드러지게 피었다.
아기 고추 비 맞을까봐
우산 씌워졌네
얼마나 클까?
우산 같은 고추꽃

하얀 양산 고추꽃

-곽 설 아 -

백화처럼 하얀 고추꽃

아직 고추가 안 열렸지만

예쁜 하얀 원피스 같아

하얀 양산 고추꽃이

더울까 봐 양산처럼 생긴 고추꽃을 덮어 주네

햇빛이 안 오겠다.

나중에 우리 엄마·아빠께 고추를 드리고 싶네.

쑥쑥 자라라. 고추꽃

곤충 벌레와 친구들

-박유나-

하얀 송충이

벤치 밑에 꼭꼭 숨어 있는 거미

나무 옆에서 푸덕푸덕 실잠자리

놀이터에서 시끌벅적하며 노는 친구들

네 잎 클로버를 찾고

톡톡 끊은 친구들

친구들과 나의 땀이 철철철

"으아, 더워!"

가지 가지 가지

-박유나-

밭에 대롱대롱 매달려 있는 가지
길에 톡 튀어나와서
우리를 툭툭 치네
"가지가 참 가지가지 하네."
가지가 가지가지 한다고 친구가 말해서
빵! 터진 나
가지 가지 가지
지금도 생각나 웃음이 나오네

나의 베스트 프렌드는 어디에?

-이유준-

방동사니는 씨앗이 많다

뿌리가 아주 작다

줄기가 딱딱하고 잘 갈라진다

꽃은 벼 낱알과 비슷하게 생겼다

밑에는 갈색, 위에는 초록색이다.

줄기를 잘라 친구와의 우정을 확인하는 방동사니

마치 반듯한 창문 같다.

너도 나도 방동사니 □ 모양이 나올까?

내 친한 친구 여기저기 다 해도

베스트 프렌드는 안 나온다.

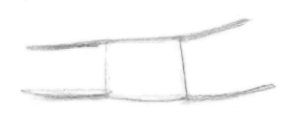

방동사니 우정테스트

-조은서-

방동사니는 뿌리가 빨갛고 갈색이다.
꽃 같은 게 많이 열려있다.
꽃이 꼭 아기 병아리 발자국 같네

방동사니

-윤채아-

친구들과 방동사니 우정 테스트 한 날,
내 베스트 프랜드는 선유다
방동사니는 마술봉처럼 생겼다.
방동사니를 휘두르면 마법에 걸릴 것 같아.

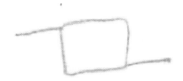

방동사니 우정 테스트

- 곽 설 아 -

선생님이 방동사니를 가지고 말씀하셨다.

"두 명이 함께 이걸 잡고 반을 쪼개 보세요.

그래서 네모가 나오면 제일 친한 친구예요."

몇 명이 했지만 은서가 됐다.

내 앞자리가 은서여서 은서랑 친해서 배프가 된 것 같다.

방동사니는 위쪽은 벼처럼 생겼고

아래쪽은 파처럼 생겼다.

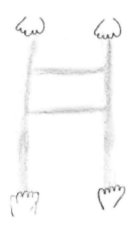

수영장 파도

-엄소윤-

첨벙첨벙
촐싹촐싹 요란하게
움직이는 물결
단번에 수영하던 나를 삼켰네
캑캑 물을 또 먹었네.

사계절 수영장

-김수찬-

수영장에 들어가면 차가워야 하는데
따듯하다.
사계절 수영장이라 그렇단다.
하얀 연기로 가득 찬 사계절 수영장

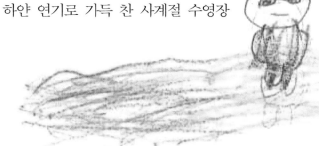

제3화 가을바람이 불면

비눗방울 대포

-최 가 온 -

비눗방울이 퐁퐁 날아다닌다.
한 마리 토끼처럼

아저씨가 후 불자
슈우웅 날아간다.

비눗방울 대포가 날아간다.
팡팡
촛불도 꺼진다.

하늘 목욕탕

-김민규-

비눗방울이 또르르

물방울처럼

하늘에서 누가 목욕을 하나

비눗방울이

또르르 떨어지네

변신 비눗방울

-손우준-

구름이 둥둥 떠다닌다.

구름이 뻥 터진다.

어! 비눗방울이네!

하트도 되고

무지개도 되고

나도 변신하고 싶다.

비눗방울 쇼

-조 은 서 -

몽실몽실 구름처럼 하늘에 둥둥 떠 있다

느릿느릿

비누 거품이 떨어진다.

이 비누 거품을 길게 만들더니

갑자기 비눗방울을 먹어버렸다.

아이구 깜짝이야.

욕심 많은 비눗방울

-엄 소 윤 -

버블버블 비눗방울 쇼

버블버블 찹찹 소리가 재미있게 난다.

비눗방울이 욕심이 많은가 봐

화려한 오로라 한입에 삼켰네.

새로 산 용 모양도 입었네. 촉촉

만지자마자 톡 터지는 비눗방울

자꾸만 생각난다.

비눗방울 마술사

-장 주 희-

몽글몽글 비눗방울
뿅! 어디 갔지?
왔다가 갑자기 가는 비눗방울
먹을 수도 있겠다.
연기를 넣어 비눗방울을 만든다.
비눗방울은 마술사!

가을바람

-김 지 우-

가을바람
너도나도 모르는 사이
온
가을
사람들 옷이
점점 더욱더 두꺼워진다.
가을바람
가을의 증표
가을바람
가을의 상징

버블버블

-박유나-

몽글몽글 비눗방울
하늘에서 팡팡! 터지네
내 손으로 톡톡 건드리면
탕! 어디 갔지?
손에서 스멀스멀 피어오는
방금 구운 군고구마
내 귀에 환호성이
찹살 떡처럼
착 착! 달라 붙는다.

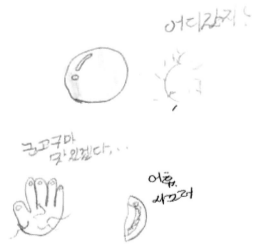

알로에의 반전

-박 담 후 -

알로에는 미끌미끌 부드러워

먹어봤더니 내 스타일은 아니더라

그냥 피부에 양보했지.

보았을 땐 오이 같아서

뾰족한 가시가 아플 줄 알았는데

하나도 안 아파

살짝 오이 냄새가 나

겉은 까칠까칠

안에는 미끌미끌

반전이야.

미꾸라지 알로에

-조 은 서 -

알로에는 아삭아삭하고 쌉쌀한 맛이 난다.

미꾸라지를 잡는 것 같이 미끈미끈하다.

껍질에는 가시가 있다. 까칠까칠했다.

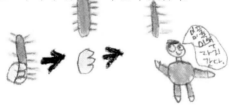

초록색 고슴도치

-엄 소 윤 -

뾰족뾰족 가시가 나 있는 알로에
고슴도치가 미용실 가서 초록색으로 염색했나 봐
찐득찐득 콧물이 주르륵 새콤한 자두 맛
달콤해서 더 먹고 싶다.
향긋한 가그린 냄새
두드리면 찹찹 소리가 나
정말 신기하다.

이게 뭘까?

- 최 준 호 -

과학 시간에 눈을 감고 만졌더니
탁구공만 하다.
단단하고 울퉁불퉁 돌처럼 거칠거칠
책상과 부딪혔을 때 딱! 딱! 딱!
상자에 넣었을 때 달그락달그락 접시 소리
구수 구수한 게 호두과자 냄새이다.
속은 번데기가 모인 것처럼 생겼다.
맛은 엄청 맛있는데, 살짝 짜다.
바로 이것은 호두이다.

호두

- 강 지 오 -

볼록볼록 동글동글
고소한 냄새가 나를 삼킨다.
너무 맛있을 것 같다.

울퉁불퉁 호두

-공 도 윤-

탁구공만 한 호두
책상에 두드리면 콩 튀는 소리처럼
탁탁 탁탁탁 딱딱한 소리
주름진 동그란 얼굴 할머니 생각난다.

호두까는 소리

-박 담 후-

까칠까칠 딱딱한 호두
울퉁불퉁 뇌 같은 호두
둥글둥글 냄새 좋은 호두
선생님이 호두까는 소리
계란 까는 소리
쓴맛 나면서도 달달하다.

탕탕탕 무지개 팝콘

-안 시 연-

탕탕탕

북 위에서 팝콘이 터진다

팡팡팡 팡팡

발이 달렸나!

높이 높이 뛴다.

여러 가지 색깔이 섞여서

마치 하늘 위에 뜬 무지개 같다.

각설탕 흔들기

-김 태 영-

각설탕을 통에 넣고 흔든다

찰찰찰

너도 나도

젖 먹던 힘을 다해 흔들었더니

가루가 되었네

맛있는 미숫가루 되었네.

소리굽쇠 실험

-박담후-

징 소리가 나는데

귀에 갖다 대면

삐 소리가 난다

음파! 음~~~파!

수영장에서 소리굽쇠 수영하는 소리

징 소리가 날 때

물에 넣으면

물이 전기같이 솟아오른다.

트라이앵글 소리

-공도윤-

소리 나지 않은 트라이앵글

탕! 치고

소리를 들으면

으웅으웅

징징징 울리는 아기 소리

난 이 소리가 참 좋다.

신기한 야광 탱탱볼

-김지우-

학교에서 만든 '야광 탱탱볼'

탕탕 신난다고 탕탕

심심하다고 탕! 탕!

감정이 오락가락

휴~~ 소리로 한숨 1번

탱탱볼이 들었는지

탕! 탕! 탕! 튀긴다.

가만히 못 있는 탱탱볼

나 같다.

쇠 기둥 피하기 놀이

-윤 채 아-

과학 시간에 클립이 붙는 기둥 피하기 놀이

클립이 기둥에 찰싹찰싹 붙었다.

마치 아기가 넘어졌다 일어나는 것처럼

클립이 붙는 기둥 피하기 놀이

-권 지 율-

휴웅 날아가 자석에 붙는 클립

찰싹찰싹 잘도 붙는다.

비행기처럼 빠르게 지나가 버렸네,

출발점에 후후 붙었는데 도착점에 바로 갔네

나도 클립처럼 빠르게 다닐 수 있다면.

가을 하늘

-공도윤-

단풍나무 위로 구름

구름이 거북이처럼 생겼다.

단풍나무 위를 걸어 다니는 구름 거북이

구름 위를 걸어 보고 싶다는 생각이 드네

오랜만에

나뭇잎 공던지기

-김민규-

나뭇잎 공을 만들자

공이 '뻥' 하고 솟아오른다.

우주까지 날아갈 것 같다.

낙엽이 통통통 튄다.

운동장 흙, 화단 흙 정반대

-공 도 윤-

화단 흙이 연하다

운동장 흙은 진하다

화단 흙의 알갱이가 굵다

운동장 흙의 알갱이는 작다

화단 흙이 물이 느리게 빠진다.

운동장 흙은 물이 빠르게 빠진다.

'정말 정반대네'

송편 만들기

-김 수 찬 -

몰랑몰랑한 떡 위에
밤을 올리고
반달 모양을 만든다.
어휴, 뜨거워
떡 반죽이 내 손바닥에서
왔다 갔다 하는 사이
송편을 10개나 만들었다.
"음~ 밤 냄새"
먹고 싶어 뱃속이 꼬르륵
이거 내가 다 먹을거야.

달이 심고 간 감

-최준호-

감이 주렁주렁
노릇노릇 잘 익었다.
달이 밤에 몰래 심고 간 감.
나무에 별이 주렁주렁 열렸네
반짝반짝 한 번 먹으면
아삭! 시원할 것 같다.

가을로 가득 찼다

-박윤서-

하늘을 바라보며 가을을 느낀다.
가을바람이 나를 휘감네
가을 햇살 따스히 나를 적셔주고
하늘은 푸른색, 하늘을 보니 평화가 온다.
식물들도 기뻐하고 콩은 더 부드럽다.
마음은 이미 가을로 가득 찼다.
가을은 가을 바람, 햇살
하늘은 우리 엄마같이
나를 안아주는 것 같다.
마음속 가을은 퍼졌다.

이상한 물체

-김 경 민-

무 잎사귀에서 찾은 이상한 알
황금색으로 빛이 난다.
그것 바로 노린재 알
냄새나는 노린재 알이
이렇게 아름답다니

금 노린재알

-엄 소 윤-

금빛 노린재알
가짜 황금으로 팔면 10억을 주려나? 궁금하다
자연산 황금
자연에서 갓 따온 금

땅콩 가족 엉엉

-박유나-

"엄마, 나는 언제 엄마처럼 커질까?"

"글쎄? 잘 모르겠네."

오늘도 땅콩 가족은 화목하게 지내고 있었어.

그런데 갑자기 땅이 흔들리더니

땅콩 잎이 위로 쑥! 뽑힌 거야.

그리고 땅콩 가족을 막 따기 시작했어.

화목했던 땅콩 가족이 다 흩어져 버렸지.

"엉엉, 엄마, 어디 있어! 엉엉."

'땅콩 가족아, 미안해.'

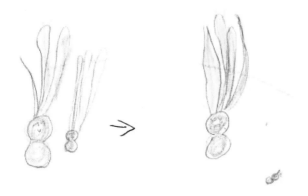

송충이는 싫어

-김 지 우-

송충이
털이 있지만
색도 이상해서 싫다
모양도 이상해서 싫다.
송충이
해충인가? 벌레인가?
알쏭달쏭 송충이
이상한 송충이

송충이 관찰

-김 민 규-

복슬복슬 강아지풀 같다.
잎이 까매서 젖소 같다.
외계에서 나온 것 같다
털이 너무 많아.

가을과 겨울의 전쟁

-박 유 나-

드디어 쪄 죽을 것 같은 여름이 가고

가을이 온 9월과 10월

그런데 초겨울처럼 너무 추워진다.

아침에 가면 아, 추워!

점심 때는 아이 더워

여름과 가을이 싸우더니

이번에는 가을과 겨울이 싸우네

가을아, 힘내!

여름: 여긴 내 자리야

가을: 이제 9월이야. 넌 지났다고

가을: 아직 10월이야. 지금은 늦가을이라고!

겨울: 이젠 나야!

허수아비 무

-박유나-

밭에 자란 무럭무럭 무

머리만 쏙 빼놓고

숨만 쉬고 있네

커서 계속 서 있네

허수아비처럼

계속 서 있네!

다리 아플까 봐

쑥쑥 빼서

자리에 눕혀 주네

무 뽑기

-김경민-

쑥쑥 자라 커진 무
내 얼굴같이 하얀 무
이제 무 뽑을 때가 왔다.
무를 뽑으니
쑥쑥 잘 뽑혔다.
내 스트레스도 쑥쑥 빠졌다.

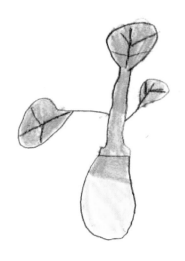

여러 가지 무

-안 시 연 -

살을 뺀 무
살찐 무
가지각색인 무
위아래가 다른 무
염색을 실패한 무
나가고 싶었는지
쏙! 빠진다.
물고기처럼 생긴 무
하트를 날린다.

가을 어느 날

-최 선 유-

가을 어느 날

텃밭에서 푹신푹신 베개같이 생긴 구름을 보고

시원한 가을바람을 느껴서 좋다.

가을 어느 날

텃밭에 팔랑팔랑 나비도 날아다니고

오랜만에 메주콩 관찰도 하고

내가 좋아하는 복슬복슬 메주콩 껍질도 만져보고

나뭇잎 공 던지기

-곽 설 아 -

낙엽이 들어있는 주머니를 천으로
하나 ~~ 둘~~ 하고 던지면
슈우웅 날아간다.
계속하니 최고 기록 21번까지도 되고
어떨 땐 많이 떨어진다.
이게 제일 재밌어서 나중에 또 하고 싶다.

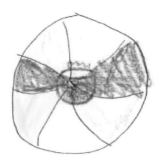

낙엽 숲 체험

-최선유-

낙엽 낙엽으로 만든 공이 데구루루 왔다 갔다

친구들이 넓적한 천위에 공을 던진다.

데구루루 퉁퉁

낙엽 공이 이리저리 움직인다.

"떨어지지 마! "내 마음에 공이 떨어지지 않았다.

다시 '데구루루 퉁↓'

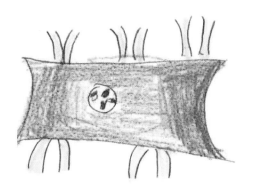

가을 나뭇잎 이야기

-정재호-

사람들은 물체는 생명이 없다고 믿어요

왜냐하면 거의 움직이지 않거든요

그런데 물건들도 다 생각이 있어요.

나무들도 마찬가지이지요.

나무들은 지구 온난화 때문에 숨을 쉴 수가 없었어요.

나뭇잎들이 산소를 내주지 못하자,

사람들이 나무들에게 산소를 달라고 했지요.

지구 온도를 식히고, 매연을 줄였어요.

그러자 나무들이 살아났어요.

그제야 나뭇잎 표정이 풀렸대요.

무지개와 악당 낙엽 4총대

-김시우-

옛날 옛날 착한 무지개와 못된 낙엽 4총대가 살았어요. 마을 주민분들이 보통 60세 정도였어요. 그런데 못된 낙엽 4총대가 나타나 마을을 치기 시작했어요. 무지개가 하지 말라고 하는데도, 말을 안 들었어요. 낙엽은 호랑이로 변해서 마을 사람들을 위협하기 시작했어요. 그런데 어디선가 바람이 불자 호랑이는 다시 낙엽으로 변했어요. 낙엽들은 감옥에 가서, 착하게 살았답니다.

메주콩 밥

-윤 채 아-

콩콩콩 콩은 공처럼 생긴 메주콩
통통통 뛸 것 같은 메주콩
폴짝폴짝 뛸 것 같은 메주콩
메주콩으로 콩밥을 만들어 먹으니
맛 좋은 메주콩밥 되었다.
또 먹고 싶은 메주콩

메주콩 초콜릿

-박 윤 서-

메주콩 열매가 주렁주렁
톡하나 뗐더니 울퉁불퉁
한 콩주머니 만져봤더니 뚜두둑 소리와 함께
매끈매끈한 콩이 나왔다.
연두색 콩이 초콜릿 같아.

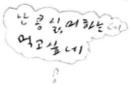

밤 맛 메주콩

-문 시 훈-

쿵쿵 이 냄새를 맡아보렴

까칠까칠

부들부들

뾰족뾰족

여러 가지 느낌이 다 나

맛은 꼭 밤 맛이야.

신기하지? 어떻게 콩에서 밤 맛이 날까?

궁금하면 너도 먹어보렴.

메주콩 트리

-최 준 호-

메주콩이 주렁주렁 열렸다.

방아깨비, 불개미, 거미도 왔다.

메주콩 트리

이제 노릇노릇

익기만 하면 된다.

요리 콩 저리 콩

-김지우-

요리 콩 저리 콩
대굴대굴 저리 콩
대굴대굴 요리 콩
요리 콩 저리 콩
요리조리
대굴대굴
저리 콩은 저리 가고
요리 콩은 뱃속으로
요리 콩 저리 콩

메주콩 메주콩을 따자

-최 선 유-

메주콩을 하나 따서 열어보니
귀엽고 맨들맨들한 콩 두 알이 나온다.
껍질은 보기만 해도 보들보들 부들부들 느낌 좋아
향긋한 콩 냄새
집에서 콩 넣은 밥을 먹는 듯한 맛
친구들이 메주콩을 따면서 좋아하는 소리 들린다.

메주콩 딴 날

-공 도 윤-

타닥타닥 메주콩을 따러 갔다.
메주콩은 털이 있었고, 부들부들하다.
친구들이 메주콩 딸 때마다
송충이가 있다고 소리를 지른다.
아아악, 아아악
메주콩을 먹어보니
옥수수 맛이 난다.
맛있었다.

메주콩의 산사태

-엄소윤-

도르륵 두두둑 굴러간다.
송충이도 같이 굴러간다.
나의 성적도 아래로 굴러간다.
똑. 똑. 똑. 엄마의 발소리
'공부해라'라는 한마디에
메주콩이 우쑤쑤 산사태가 났다.
마을 하나가 없어졌다.

메주콩 멘토스

-윤채아-

복슬복슬해서 복실이
부드럽다.
만져보니 깃털 같아
초록색 껍질 안에 숨겨진
연둣빛 멘토스
어떤 맛일까?

털북숭이 메주콩

- 곽 설 아 -

주렁주렁 자란 메주콩

털이 수북수북한 메주콩

부숴보니 바싹 소리가 나네

옹기종기 콩 형제들이 모여 있네

콩 형들은 4형제

2개는 친구들에게

2개는 나에게

껍질이 파처럼 생겼네.

(떠오르는 단어: 털, 수북수북, 주렁주렁, 바스삭, 옹기종기)

메주콩 이사가던 날

- 박 윤 서 -

동아리 시간에 콩 따기 시간

똑똑 콩을 따고 또 독 또 딴다.

냄새는 콩 냄새

보들보들 삐죽삐죽

콩은 이제 이사 간다고

신이 났다.

메주콩 따던 날

-권지율-

메주콩도 추운가 봐

옷을 갈아입었네.

조금만 더 있으면 옷을 다 갈아입겠지?

더 추워지기 전에 다 갈아입으렴.

드디어 메주콩을 땄네.

메주콩 잎이 메주콩 키우느라 힘들었겠네

잎을 만져보니 거칠거칠

메주콩은 보들보들

냄새는 풀냄새

이번 주에 꼭 먹어볼 거야.

갑옷을 입은 메주콩

-안 시 연-

메주콩
똑! 따면 두 알, 세 알, 네 알 무작위다.
마음에 안 들면
한 알을 툭 던져버린다.
보슬보슬 가을이 되어서
털옷을 입은 메주 알맹이가
딱딱한 초록 갑옷을 입었다.
겨울이 다가오니 노란색 갑옷을 입는 메주콩
갑옷에서 이상한 냄새가 난다.

메주콩 맛은?

-조 은 서-

메주콩을 먹었다.
맛이 고소했다.
처음에는 콩 맛이 났는데
갑자기 밤 맛이 났다.
그러다가 무슨 맛인지 구분이 잘 안 되었다.
더 먹어보자.

우리 반 최고의 무용수

- 소 수 호 -

지오, 시우, 담후, 시훈이가

마리아 춤을 춘다.

해파리처럼 흐느적거린다.

최고의 무용수들처럼

돌아가며 팔을 꼬불꼬불 움직인다.

박자가 하나도 안 맞는다.

그런데 이상하다.

웃기고 재미있다.

내 마음이 나갔다 왔다.

-박윤서-

며칠 전부터 열심히 준비한 장기 자랑 시간

너무 긴장되어서 연습한 말을 못 하고

보여주기만 했다.

그래서 내가 잘했는지 모르겠다.

친구들 모두가 빛이 났다.

나는 빛이 나지 않았다.

친구들이 너무 멋져 내 걸 잊고 감탄했다.

내 마음이 후욱 소리를 내며

나갔다 왔다.

내 동생

-김 지우-

내 동생은
장난감 공장에서 왔나 보다
곰 인형처럼 보들보들하다.

동생은
우리 집으로 올 때
향수 가게에서
동생만의 향수를 만들고 왔나 보다.
동생만의 냄새난다.

동생은
매일 매일 즐겁나 보다.
항상 웃는다.

사다리 자

-조은서-

누가 이렇게
작은 사다리를 두고 갔나!
자그마한 개미 한 마리
살금살금 쿵쿵쿵
개미가 놀라 도망간다.
내 손을 피해
눈 깜짝할 새 숨어 버렸다.

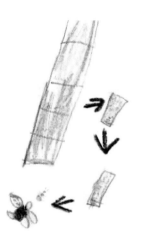

레고

-강지오-

레고는 나를 재미있게 해준다.
레고는 나에게 기쁨을 준다.
레고 닌자는 내가 가장 좋아한다.
엄마가 일본 문화라고 싫어하지만 그래도 닌자 정말 좋아.

주말은 별똥별

-안 시 연 -

주말

별똥별 같은 주말

슝~ 지나가는 주말

얼음처럼 빨리 녹는 주말

주말이 가고 월요일이 온다.

평일은 달팽이 같고

주말은 별똥별 같다.

비 오는 밤

-최 가 온 -

어두컴컴한 밤이 왔다. 깜깜

찌리리 번쩍번쩍 빛도 왔다. 씨아아

투두둑 비도 왔다. 똥동도동. 콰직!

번개도 왔다. 우르르 쾅쾅

지구에 너무 많은 것들이 들어왔다.

그래서 너무 혼란스럽다.

시 쓰는 연필

-박 윤 서 -

연필이 걸어간다. 쓱싹쓱싹
내 손 따라 글씨 쓰러 간다.

손가락처럼 길쭉한 연필
내 손처럼 부드럽다.

내 손 따라 시를 쓰는 연필
오늘은 무슨 시가 나올까?

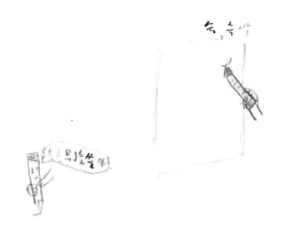

해바라기

- 최 선 유 -

향긋향긋 좋은 냄새
노랑나비들이 벌집 앞에 모여있다.
부들부들 보들보들
해만 봐서 해바라기
엄마, 아빠와 같이 봐서
모든 게 마음에 드는 해바라기

맛있는 돈가스

-강지오-

급식실 줄이 유난히 긴 점심시간
오늘따라 꼬르륵 소리 더 요란하다.
기다리고 기다리다 먹은 돈가스
하늘을 나는 기분
학교 운동장 한 바퀴 도니
더 맛있는 점심 생각이 난다.

그냥 놔두세요.

-소수호-

그냥 놔두세요.
밖에서 뛰어놀 테니까
그냥 놔두세요.
햄버거 시키게
그냥 놔두세요.
택시 타고 할머니네 갈 테니까

우리 집 흰둥이

-황 소 원 -

복슬복슬 베개
우리 집 강아지는
복슬복슬한 베개
구질구질한 냄새난다.

정수기 앞에서 똘망똘망 쳐다보고
간식 통 앞에서 낑낑 쳐다보고
문 앞에서 살랑살랑 나뭇잎처럼 꼬리를 흔든다.

언제나 나를 좋아하는
흰색 우리 집 강아지

오독오독 냠냠
강아지가 간식 먹는 소리
내가 더 배가 부르다.

짜장라면 강아지

- 안 시 연 -

우리 집 강아지

아기 땐 분명

털 색깔이 진했는데

미용실에서 염색하고 왔나 보다.

뽀글뽀글 짜장라면으로 달고 다닌다.

짜장라면 위에

검은콩 세 개

짜장라면에서 꼬순내가 난다.

귀여운 우리 집 강아지

뽀송뽀송한 우리 집 강아지

-김시우-

샤워하고 나니 개운한 우리 집 강아지

뽀송뽀송해

나는 좋은데 물을 튀겨 싫다

이러다가 우리 집이 뽀송뽀송하게 생겼다.

엄마, 아빠 오면 난 혼난다.

빨리 청소해

고양이 베개

-최 가 온 -

푹신푹신 고양이
내 베개
푸우~ 누우면
고양이가 더 잘 잔다.
주르륵!
잠꼬대도 한다.
평생 베고 싶은 내 고양이

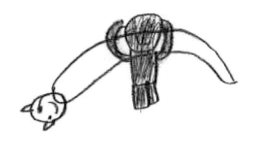

자전거는 왜?

-정 재 호 -

자동차도 빨리 쌩~ 하고 다니는데

왜, 자전거는 쌩해도 자동차를 따라잡지 못할까?

자전거가 아무리 빠르게 달려도

자동차는 이미 저 멀리….

너무 빠르다.

자전거 선수들을 따라잡을 수 있을까?

궁금하다.

탕후루

빠삭!

-장 라 윤 -

새콤달콤 탕후루

오독오독 탕후루

유리 속에 갇힌 과일꼬치

탕후루 2개를 맞대어

부딪치면 톡톡!

유리처럼 깨지네

새콤달콤 탕후루

아침에 먹는 빵

-공도윤-

학교 가는 날 아침에 먹는 빵
아! 이것은
따스한 햇볕에
눈을 감고 있을 때 그 느낌

바삭바삭
말랑말랑
겉비속촉

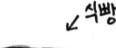

너무 맛있어
아침 시간 가는 줄 몰랐네
이러다 지각하겠어

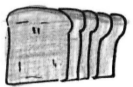

내 마음 보라색

-박유나-

내 마음 보라색
예쁜 저녁 하늘
풀밭에 누워
소곤소곤 들리는
밤의 소리
귀 끝으로 간질간질
들리는 편안한 숨소리
그리고 스르르 잠이 드네

내 마음 황색

-최가온-

점심 밥을 먹고 편안히
가만히 있는 내가
모래알처럼 편안해
하루종일 가만히 있는
황색 모래 언덕처럼
태평 성대해.

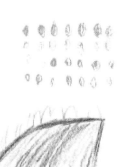

내 마음은 파란색 바다

-김 태 영 -

내 마음 색은 파란색

학교 끝나고 내가 좋아하는 캠핑한다.

내 마음은 바닷물 파란색으로 가득 찼어.

내 마음 빨간색

-박 담 후 -

지금 내 마음은 빨간 토마토색

친구에게 말을 많이 해서 얼굴이 빨간색

지금은 아주 예쁜 꽃처럼

차분해져서 빨간 장미

내 마음 해바라기색

-박준영-

내 마음은 노랑, 초록
국어 시간에 바나나를 먹고
줄넘기를 안 하고
조용히 책을 읽어 평안해

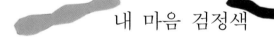

내 마음 검정색

-이유준-

내가 178개 딱지를 따서 너무 기뻐
그런데 오늘 우산이 없는데 비가 올 것 같아.
걱정돼
그래서 내 마음이 검어

내 마음 회색

-정 재 호-

지금 내 기분은 천둥 치기 전 먹구름

회색

친구가 내 딱지를 많이 따 가버렸어.

내 마음 연 분홍색

-장 라 윤-

바람에 살랑살랑

흔들리는 벚꽃처럼 환해

단풍이 든 나뭇잎처럼 편안해

연분홍빛으로

내 마음 가득해

세상에서 가장 연한 하얀색

-손 우 준 -

하얀색 하면 겨울이 생각난다.

눈이 펑펑 내리고

맑은 하늘의 깔끔한 구름

둥둥 떠다니는 구름

몽글몽글한 구름

하얀색은 어디서든 볼 수 있다.

내 마음 초록색

-김 시 은 -

도서관에서 초록색 지우개를 받았어.

잔디처럼 내 마음도 평안해

가장 아름다운 노란색

-최 선 유 -

나비가 팔랑팔랑 날아다닐 때
예쁜 민들레 꽃잎이 피어날 때
해가 가장 반짝반짝 빛날 때
이렇게 노란색은 가장 아름답습니다.

내 마음 분홍색

-장 주 희 -

놀이터에서 아이들이
먹고 있는 솜사탕

찰랑찰랑 소라게
핑크색 파도 소리가 들린다.

내 마음 투명 색

-소 수 호-

내가 좋아하는 색은 투명이에요.

모든 색을 볼 수 있으니까요.

내 마음 검정, 노란색

-이 유 준-

검은색은 달달한 초콜릿

진한 검은색은 우주

신비한 우주

거기에 노란빛 한 줄기

나도 빨려갈 것 같아

세상에서 아름다운 색깔, 핑크

-윤 채 아-

가장 핑크색은 가족들의 사랑이에요.

아빠가 회사 끝나고

편의점에서 맛있는 간식을 사 오시고

맛있는 간식을

알콩달콩 먹으면

핑크색이 가득 차요.

세상에서 가장 아름다운 색깔, 하얀색

-문 시 훈-

무서운 귀신을 봤을 때 표정

보름달에서 흰 토끼가 떡방아를 찧고

달콤달콤한 솜사탕을 먹고

뽀얗고 하얀 눈사람

종이처럼 매끈매끈한 하얀색

노랑, 검정색

-박 준 영 -

검은색은 어두운 밤이에요.

아주 어두운 밤, 보름달은 더 밝게 빛나요.

이런 날 검정 초콜릿을 먹고 싶어요.

가장 아름다운 주황

-장 라 윤 -

가장 주황색인 것은 새콤달콤 감귤이에요.

귤껍질을 까고 한 알씩 떼어 먹다 보면

내 손톱은 어느새 주황색이 되어 있어요.

당근 같은 감귤,

오독오독

토끼가 좋아하는

당근도 주황이에요.

가장 빨간색은 모닥불이에요

-김 경 민-

쌀쌀하고 추운 가을 저녁에

할머니 집에서

아빠가 화롯대 장작에

불을 붙이면

내 얼굴이 빨갛게 달아오르지요.

이 세상에 가장 아름다운 빨강은 모닥불이에요.

내 마음의 보석 창의성

-엄 소 윤-

나는 그림 그리는 걸 좋아해

내가 펜을 들면 아이디어가 떠올라

그리고 나는 손으로 만드는 걸 좋아해.

친구들이 내 그림을 보고 행복해졌으면 좋겠어.

그리고 내 작품을 보고 따스함을 느낀다면

기분이 날아갈 것 같아.

내 마음의 보석 기쁨

-공도윤-

나는 늘 기뻐해

아무리 힘들어도 더 노력하면 힘든 걸 이겨낼 수 있어.

그래서 좋은 말을 해

무서운 생각이 들 때

엄마는 일어나지도 않은 일을 생각하지 말랬어.

그럼 모든 일이 잘 풀려

나는 내 곁에 있는 사람들과 싸우지 않았으면 좋겠어.

내 마음의 보석 친절

-곽설아-

나는 늘 친절해

친구들을 도와주고

배려를 많이 해

친구가 원하는 것이 나와 같으면

내가 항상 배려해줘.

나는 매일 친절해.

그래서 항상 슬픈 친구는 위로해줘.

내 마음의 보석 친절은

늘 반짝반짝 다이아몬드만큼 빛나

내 마음의 보석 결의

-김수찬-

내 마음의 보석은 결의다.
축구를 할 때 이기려고 노력하고
온 힘을 다하지만 질 때도 있고
이길 때도 있다.

내 마음의 보석 감사

-장주희-

나는 항상 감사해.
밥이 맛없어도 감사
100점이 안 나와도 감사
혼나도 감사
나는 항상 감사해
계속…. 맨날….
항상 웃기 때문이야.

내 마음의 보석 용서

-김 경 민-

나는 늘 용서야.

친구가 실수하면

나는 용서해 줘

동생도 실수하면 나는 또 용서해줘.

나는 누가 실수를 하면 용서했으면 좋겠어.

내 마음의 보석 용기

-김 시 은-

내 마음속엔 보석이 있어.

바로 용기야.

그 이유를 설명해 줄게.

첫 번째는 나는 벌레가 별로 안 무섭거든.

조금 무서울 때도 있지만

안 무서울 때가 많아서 용기를 선택했어.

내 마음속엔 진짜 용기 말고 다른 것도 있을까?

난 귀여운 내가 좋아

-박 윤 서 -

나는 그림을 엄청나게 잘 그려
실제 사람과 비슷하게 그리지
그림을 다 그리면 뿌듯해
그림을 받는 사람이 기쁘면
나도 기뻐

난 선물을 받는 것보다
주는 게 더 좋아
선물을 준 사람한테서
사랑이 느껴지지만
난 내 사랑을 전하는데 더 좋아.

가족 생일날 선물을 2~3개 정도 사는 걸.
그 선물엔 내 사랑이 담겨져 있어.
내 선물을 받고 기뻐하는 사람이 있었으면 좋겠어.

난 그림을 잘 그려

-김 시 우-

난 그림을 잘 그려
쭉쭉 쭉 쭉쭉
붓을 밀면 내가 원하는 그림이 나와
난 시력이 좋아
다른 곳을 보면 사람들이
뭐를 하는지 다 알 수 있어.
난 책 읽기를 잘해
한 번 집중하면 3권은 다 읽으니까.

난 책을 많이 읽어

-최 랑-

난 책을 많이 읽어
처음에는 읽고 싶지 않았지만
이제는 잘 읽게 됐어.

난 종이접기를 잘해
종이접기를 할 때면
내 마음이 차분해져

열심히 하는 내가 좋아.

-조 은 서 -

난 내가 좋아.

한번 시작한 것은 열심히 하거든.

그래서 자전거를 타고 싶어.

나중에 더 연습해서

2발 자전거를 타고

울퉁불퉁한 길도 잘 가고 싶어.

난 상상력이 좋아

-최 가 온 -

난 상상력이 풍부해

비행기를 타고

날아다니는 꿈을 꾸어

우주에 나 하나밖에 없는 내가 좋아

난 책을 많이 읽는 내가 좋아

항상 엄마한테 책을 사 달라하고

많이 읽어서 좋아.

난 그림을 잘 그려
-황 소 원 -

나는 미술이 좋아.
내 앞에 종이가 있으면 저절로 연필을 잡아.

그림이 생각이 안 날 때도 상상으로 그릴 수 있어.
다 그리고 나면 이쁜 그림이 나와.
내가 봐도
내 그림이 짱이야.

난 축구를 좋아해
-김 수 찬 -

나는 축구를 좋아하고 잘 알아
2022 카타르 월드컵 결과도 알아.
2002 한일 월드컵 결과도 알지.

난 지금 축구를 배우고 있어.
엄마가 토트넘 어린이 유니폼도 사주셨어.
나는 내가 정말 멋져!

귀여운 내가 좋아.

-장 주 희 -

난 귀여운 내가 좋아.

나는 그림을 잘 그려.

엄마가 표현력이 아주 좋다는데

그리고 내가 또 잘 웃어.

목소리 연기도 잘한다고.

내가 잘하는 연기는 또 최고래

그래서 내가 좋아

또 우리 가족, 우리 반 우리 학교 모두 좋아

나의 꿈은 자연과학자

-장 주 희 -

나의 꿈은 자연과학자야. 보들보들 나뭇잎, 동글동글 씨앗, 까칠까칠 나무 껍데기를 관찰하는 것을 좋아하지. 나는 내 꿈을 이루기 위해 할 수 있는 한 밖에 많이 나가서 새싹도 보고 식물도 키워보고 싶어. 그리고 자연에 관한 많은 책을 읽을 거야. 먼 훗날 커서 주택에서 꼭 살고 싶은 것이 꿈이야. 이 모든 것을 이루려면 자신감이 필요해. 잘 할 수 있을 거라 믿어.

하느님에게

안녕하세요? 하느님이 사는 곳은 안 더워요? 여기 지구는 너무 더워요. 하느님은 행성, 지구, 자연, 인간을 만들어 주셨죠. 저는 하느님이 어떻게 생겼는지, 어디에 살아계실지, 계신 곳이 덥나, 춥나 너무 궁금했어요. 하느님, 지구를 만들어 주셔서 감사합니다. 건강하세요. 2023년 6월 15일 손우준 올림

엄마에게

엄마, 5월 두 번째 날이에요. 제가 써드리는 편지를 받고 엄마는 항상 웃어주시잖아요. 그래서 편지를 다시 쓰고 있어요. 엄마가 바쁘지만, 가족을 위해 일을 하고 계시고, 맛있는 음식을 만들어 주셔서 감사해요.

2023년 5월 2일 김태영 올림.

할아버지, 할머니께

할아버지, 할머니 안녕하세요? 벌써 5월이 되었어요. 5월이 되니 나뭇잎이 파릇파릇해요. 오늘 노동하는 아이들을 영상으로 보았어요. 그러고 보니 제가 책을 읽고 공부를 하고 구구단을 외울 수 있는데 감사하다는 생각을 했어요. 할아버지, 할머니 제가 공부할 때 도와주셔서 감사해요. 항상 저를 반겨주시고 같이 윷놀이도 해주셔서 감사합니다. 앞으로 할머니께 효도할게요. 늘 건강하셔야 해요.

2023년 5월 2일 문시훈 올림.

선생님께

선생님, 안녕하세요? 지난번에 추웠는데 5월이 되어 따뜻해졌어요. 학교에서 든든하게 생활할 수 있도록 도와주셔서 감사합니다. 선생님은 마음이 따뜻해요. 그리고 글씨를 잘 쓰시는 것 같아요. 매일 날단학공소 공책을 칠판에 적어주셔서 감사합니다. 저도 선생님처럼 멋진 사람이 될 거예요. 선생님 안녕히 계세요. 2023년 5월 2일 김시은 올림

아빠에게

　안녕하세요? 저는 최랑이에요. 아빠한테 감사 편지를 쓸게요. 일단 저랑 놀이공원을 많이 가줘서 감사합니다. 저에게 고기를 많이 사주시고, 학원학교를 데려다주셔서 감사합니다. 저는 거의 키울 수 없을 것 같았는데 키워주셔서 감사합니다. 제가 산책을 진짜 좋아하는데 엄청 많이 가게 해줘 감사합니다. 레고를 거의 안 하는데 사주셔서 감사합니다. 학용품도 많이 사주시고, 책을 많이 사주셔서 감사합니다. 그리고 저를 사랑해주셔서 감사합니다. 　2023년 5월 2일 최랑 올림

엄마에게

　엄마, 학교에 있는 배추흰나비 애벌레가 모두 번데기로 변했어요. 오늘 엄마에게 감사할 일을 편지로 쓰고 있어요. 먼저 저에게 학교에 갈 수 있게 해주셔서 감사해요. 제가 맛있는 음식을 먹고, 책을 읽을 수 있게 해주셔서 감사합니다. 제가 아플 때 병원에 가게 해주시고, 숙제를 잘하고, 공부도 잘하고 친구도 사귀게 해주셔서 감사합니다. 휴대전화도 사주셔서 감사합니다. 그리고 모르는 것도 알려주셔서 감사합니다. 그럼 안녕히 계세요. 　2023년 5월 2일 박준영 올림

엄마에게

엄마, 안녕하세요? 저는 소원이에요. 지금은 많이 날씨가 따듯해졌어요. 오늘 학교에서 어떤 아이가 가족을 먹이기 위해 하루종일 일을 많이 하는 것을 보고 눈물이 날 뻔했어요. 내가 다른 친구들처럼 재미있게 놀고, 엄마가 해주시는 밥을 잘 먹고 있는 것이 정말 감사하다는 것을 깨달았어요. 저도 엄마가 집안일 할 때 엄마 일을 무조건 도와드릴게요. 언제나 힘들면 말씀해주세요. 감사합니다.

2023년 5월 2일 황소원 올림

농부 아저씨께

아저씨, 안녕하세요? 요즘 날씨도 더운데 농사짓느라 힘드시죠? 우리에게 항상 좋은 쌀과 맛있는 음식을 주셔서 정말 감사해요. 제가 옛날엔 음식을 남겼는데 지금은 안 남겨요. 아저씨들이 이 편지를 읽고 힘을 내셨으면 좋겠어요. 감사해요. 2023년 6월 16일 윤채아 올림

엄마, 안녕하세요?

3일만 있으면 어린이날이에요. 오늘 선생님에게 들었는데 방글라데시에는 40% 어린이들이 아동노동을 하고 있대요. 그런 거에 비해 저는 엄마가 매일 간식을 주시고, 매일 놀 수 있게 해주셔서 감사합니다. 그리고 제가 좋아하는 호주산 스테이크를 해주셔서 감사해요. 제가 수학 문제 풀 때 헷갈리거나 어려울 때 엄마가 문제를 알려주셔서 감사합니다. 앞으로 건강하고 행복하게 같이 살아요. 그럼 안녕히 계세요.

2023년 5월 2일 이유준 올림

아빠, 안녕하세요?

저 가온이에요. 이제 학교 산수유가 초록색으로 물들었어요. 지난주에 엄마한테 혼날 때 저를 이해해주셔서 감사합니다. 앞으로 공부, 숙제도 잘하고 책을 더 많이 읽을게요. 제가 아플 때 약 발라주시고, 밴드 붙혀 주셔서 감사해요. 지금까지 키워주시고, 사랑해주셔서 감사해요.

2023년 5월 2일 최가온 올림

할머니께

할머니 안녕하세요? 저 수호에요. 요즘 할머니에게 금요일마다 가서 많이 신나요. 사달라면 사주셔서 감사해요. 그리고 할머니가 만들어 주시는 음식이 최고예요. 할머니 댁에 매일 가고 싶지만, 학교 때문에 못 가고 있어요. 할머니 사랑해요.
2023년 5월 2일 소수호 올림

엄마에게

엄마, 지난 주에는 추웠는데 이번 주는 따뜻해서 학교에 앵도꽃이 피었어요. 엄마가 내 방을 꾸며주셔서 감사드려요. 게임기, 피규어도 사주시고, 스타필드에서 책을 사주셔서 감사드려요. 주말에 같이 자전거를 타게 해주셔서 감사드려요. 학원도 가게 해주시고, 밥을 먹을 수 있게 해주셔서 감사합니다. 항상 키워주셔서 감사합니다.
2023년 5월 2일 김시우 올림

자연을 꿈꾸는

꼬마 작가들

제4화 겨울에 만난 친구들

글·그림:3학년 7반
친구들

이것은 뭘까?

-손우준-

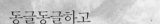

동글동글하고

연한 핑크색

짜릿한 냄새

꼭대기 부분은 길쭉하다.

이것은 뭘까?

마늘

-장 라 윤-

흙 속에 꼭꼭 숨은 마늘
뽀얀 눈으로 덮였네
싹이 쏙! 귀엽구나
내년에 쑥쑥 자라서
3학년 친구들에게 가렴.

겨울 마늘아

-정 재 호-

마늘아 마늘아
너는 사람도 춥고
동물도 추운 데도
너는 꾹 참고 찬 바람을 이기는구나
오늘도 눈이 솔솔 내리고
바람도 휙휙

마늘의 꿈

-안 시 연 -

포근한 상추 이불을 덮는 것
쑥쑥 커서
친구를 사귀어 같이 크는 것
마늘 마음속의 있는 다른 친구가 뿅!
난 친구가 많아질 거야!
마늘은 비가 와도 눈이 와도 자란다.

마늘 뽑기

-윤 채 아 -

마늘을 뽑고 나니 눈물이 그렁그렁
눈을 감고 뜨니
눈물이 톡하고 떨어졌다.
핑크빛 보랏빛 나는 마늘 색깔

마늘이 싹이 돋았다.

-김 지 우 -

마늘이 싹이 돋았다.
용감하게 돋았다.

마늘이 싹이 돋았다.
힘들게 돋았다.
이제 무럭무럭 커!

마늘, 너를 응원할께

-김민규-

마늘이 애기처럼 잔다.
마늘이 커지고 싶어 한다.
마늘 머리카락이 한 가닥 나온다.
머리가 쑥 나온다.
머리카락에 손이 찔릴 것 같다.
얼른 커서 사람 입으로
들어가고 싶어 한다.
추울 때 싹을 틔워 자라는 마늘
그래서 더 응원해야겠다.

아기 마늘

-김지우-

아기 마늘을 심었다.
얼굴을 살짝살짝
내미는 게 귀여웠다.

마늘의 꿈

-최선유-

아이들이 나를 땅에 심었어.

쿡쿡

흙에 귀여운 내가 넘어졌어.

흙에 넣어졌어.

나의 꿈은 커서

사람 음식에 쩝쩝 맛있게 쓰이는 거야.

빨리 커서

나의 꿈을 꼭 이룰 거야.

건강하게 자라서

꿈을 이룰 거야.

쌀쌀한 아침 바람

-윤 채 아 -

갑자기 찾아온 겨울바람
낙엽이 다 날아가겠다.
어제는 해가 비춰 덜 추웠는데
오늘 아침 바람은
나라의 성을 지키는 병장 같다.
모두가 꼼짝 못 한다.

겨울바람

-김 경 민 -

겨울이 찾아왔는지
바람이 치타처럼 쌩 쌩
진짜 겨울이 찾아왔다.

심술쟁이 흰 눈

-문시훈-

흰 눈과 겨울바람이 씨름한다.
흰 눈이 바람에 졌다.
흰 눈이 내려온다.
하늘 위에서 짭짜름한 소금이 내려온다.

심술이 난 흰 눈이
잘못 없는 나무를 흔들어 춥게 한다.
눈이 그치고 나면 나무들은 환호한다.

귀가 빨갛게 추운 날

-박 준 영-

밖에 나가니 차가운 바람이 휘휘 분다.
냉장고처럼 차가운 바람이
내 몸 어디든 들어온다.

차가운 바람이 빨간색 색연필을 들고
내 귀를 빨갛게 칠한다.
내 귀가 빨개진다.
11월인데 북극 바람처럼
차갑다.

엄청 추운 날

-소 수 호-

어제, 오늘 아침에 엄청 추워서
잠바 2개, 핫팩 1개,
목도리까지 챙겨왔다.
그런데도 너무 추웠다.
오늘은 그나마 나은 것 아닌가?
겨울 눈이 올 때 엄청 추울 것 같다.

물 얼리기 프로젝트

-문 시 훈-

눈이 녹아 이슬이 되었다.

똑똑똑

지붕 위에서 쉼 없이

또로로로 또로로로

빗물을 받아 주전자를 채운다.

벌써 1/3이나 채웠네.

후원자들이 우산으로 물 채워준다.

얼음이 되려면 얼마나 걸릴까

맛있는 학교 귤

-김 시 은-

3월에 본 귤나무에
하얀 귤 꽃이 가득 피었었다.

그런데 딱 하나만
끝까지 열려서
익었다.

귤 껍질은 맨질맨질하고
귤은 설탕처럼 달다.

아이들이
치이익 귤 까는 소리
어제 귤을 먹은 것보다
학교 귤이 더 맛있다.

귤즙 수영장

-장 주 희-

새콤달콤 귤

오돌토돌 귤

보들보들

입안에서 톡! 터지는 꽉 찬 알

입안에서 열리는 귤즙 수영장

너무너무 맛있어.

으~ 셔~ 귤

-정 재 호-

새콤달콤 말랑말랑 동글동글

지구 온난화 때문에 생긴 귤

포동동 먹으면 저절로 나오는 으~~셔~~

새콤달콤 귤

-장 라 윤-

우리 반이 키운 귤
정말 달달한 귤
동글동글 귀엽다.
입에서 톡톡!
터지는 귤
귤잎도 동글동글
너무 귀여워!
새콤달콤 귤
귤껍질은 매끈매끈
우리 반 귤
예쁜 귤

맛있어서 귤

-이 유 준-

귤이란 이름만 들어도 침이 생겨
먹으면 입안에서 톡톡
과즙 새콤달콤 팡팡
맛있어서 귤이다.

귤나무가 3-7반에게

-엄 소 윤-

3-7반 친구들아, 안녕? 나는
귤나무라고 해. 일단 내 목적을 이룰 수
있게 도와주신 박은주선생님 정말
감사합니다.(꾸벅)
나는 무려 8개월 동안이나 맛있는
귤을 만들기 위해 매일 물을 먹고
햇볕을 쬐며 성장했지. 매일 3-7반
아이들의 웃음소리가 들려서 너무
좋았어. 비록 지금은 꽃이 다
떨어졌지만 귤을 만들 수 있는 내가
자랑스러워. 내가 키운 귤을 너희들이
맛있게 먹어주니 기분이 날아갈 것
같아! 그럼 내년에 또 보자!

2023.11.24.금

귤나무가 3-7반에게

달콤한 귤

-박 윤 서 -

여덟 달 동안 키워온 우리 반 귤
주황 공처럼 생겨서 공놀이하고 싶다.
3조와 우리 조가 가위바위보를 해서 내가 이겼다.
그래서 내가 "또도독" 땄다.
상쾌하고 시원한 소리가 났다.
반으로 나눠 "냠냠", "찍찌콰아" 귤먹는 소리다.
달콤하고 시원한 게 아이스크림 같다.
더 먹고 싶어 하는 친구에게 1개 주었다.
자꾸만 입에 가는 맛이다.

귤꽃의 꿈

-문 시 훈 -

귤꽃이 톡톡 터지면서
여덟 달 되도록 열심히 컸다.
꿈을 이루었다.

귤 함께 먹자

-김 지 우-

귤
탱글탱글 귤

귤
달콤새콤 귤

귤
맛있는 귤

귤
함께 먹자!

귤 맛

-소 수 호-

엄청나게 맛있다. 주황색으로 물들인 새콤한 틱톡 젤리 같
다. 톡톡 시큼하게 터지는 게 딱 사과 한 번 깨물었을 때 즙
이 나온 것 같다.

귤아 수고했어.

-권 지 율-

맛있는 귤, 우리 반 귤

톡, 귤 따는 소리

우리 조와 같이 나눠 먹었다.

어~ 1개가 남네?

가위바위보!

아깝다. 이길 수 있었는데

먹어보니 과즙이 팡팡

새콤달콤 팡팡

귤나무와 귤잎이 수고했다.

아기 귤 키우느라

귤아, 잘 먹었어.

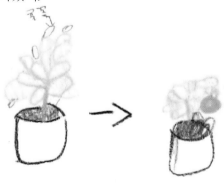

새콤달콤 귤

-곽 설 아-

새콤달콤
사탕보다 더 달콤한 귤
먹어도 이가 썩지 않을 것 같아.

과즙이 팡! 팡!
입안에서 폭죽이 터진다.

귤은 자연적인 사탕 같다.
집에 가서 꼭 귤 먹어야겠다.

주황 워터파크

-손 우 준-

귤은 물컹물컹 말랑말랑하다.
귤이 톡 하고 따진다.
귤을 먹어보니 입에 쫘~ 퍼져서
내 입은 주황 워터파크다.

3-7굴의 맛

-최 선 유-

굴을 먹자
맨들맨들 보들보들 느낌 좋아

숲의 좋은 공기처럼
상쾌한 냄새
한입에 '왕' 먹어보니
새콤새콤 달콤달콤
너무 달아!

딱 보기만 해도 맛있어 보여.

1년 동안 키운 우리 굴

-박 준 영-

우리가 처음 3학년 7반에 왔을 때 굴을 키웠다. 처음에는 그냥 풀만 있었는데, 점점 더 커지더니 꽃도 활짝 피었다. 그리고 굴도 맨들맨들하게 나왔다. 우리가 잘 키워서 그런지 달콤하고 맛있었다. 나도 한번 굴나무를 쑥쑥 키워보고 싶다.

말랑말랑 귤

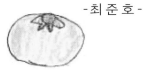

-최준호-

새콤달콤한 귤
아이, 셔!
혀가 마비될 정도로 시다.
말랑이처럼 말랑말랑
비눗방울처럼 탱글탱글
입안에 터지면
작은 알갱이들이 송송, 송송

귤 맛이 팡팡

-김민규-

배추흰나비 같은 귤꽃
귤꽃에서 열매가 자라
원 같은 귤이 되었다.
귤을 똑 따서
귤의 단맛이 내 입속에서 팡팡 터진다.

달달한 굴

-김 시 우 -

국어 시간에 먹어본 굴
챠르륵 입 안에서 녹는다
굴나무꽃에서 났던 향이
굴에서 난다.
이 굴 하나를 키우는
화분이 엄청나게 컸다.

키워보고 싶은 굴

-김 태 영 -

굴 맛이 새콤달콤
시켜서 먹는 것보다
키워 먹는 게 낫겠다.
나도 키워보고 싶어.

첫눈과 당근

-황 소 원-

첫눈이 아침부터 온다.

후딱 점심을 먹고, 텃밭으로 달려간다.

쑥갓 같기도 하고, 소나무 같기도 하고

고수 같기도 한 커다란 당근 잎

그런데 당근이 너무 작잖아?

너 당근 맞니?

아삭아삭 오! 너무 아삭한 당근이잖아.

당근당근

-최 준 호-

당근이 삐죽

첫눈 오는 날

왁자지껄한 곳에서 땅속에서 쏙!

뿌리는 땅속 두더지가

술래잡기하듯

바나나 같은 당근이 불쑥!

나왔다.

축복 당근

-안 시 연 -

당근이 뿅!
눈은 사르르
유기농 당근이라
아삭아삭 달콤하다.
꽈배기처럼
몸을 배배 꼰 당근
당근이 나오자
눈이 또 온다.
축복 당근

당근 관찰

-김 수 찬 -

당근이 쑥쑥 잘 뽑힌다.
우리 아빠 뱃살처럼
뚱뚱하다.
언제 이렇게 컸을까?
잎사귀 냄새가 윽!

첫눈 오는 날 당근 캐기

-박 준 영 -

하늘에서 하얀 설탕이 솔솔솔
텃밭에도 달콤한 설탕이 내렸다.
바람이 휘휘 불어
당근 잎이 흔들흔들
풀 냄새, 흙냄새
얼른 캐서 교실로 데려왔다.
아이들이 당근 먹는 소리 아삭아삭
달달한 당근 소리

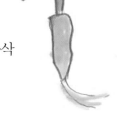

눈과 당근

-손 우 준 -

진눈깨비가 스르르 오네
우리는 가슴이 콩닥콩닥 신이 나네
당근도 신나 흙에서 나오고 싶어 하네
똑똑 노크하고 당근을 뽑아 보네
잎을 자세히 보니
사람처럼 핏줄이 있네.

빨간 연필 당근

-정 재 호-

당근이 쏙쏙 잘 빠져나온다.
내가 뽑은 당근은
근육 당근
애기 당근
꼭 빨간 연필처럼 생겼어.
이 당근으로 글을 쓴다면
글도 잘 써질 거야.

첫눈과 당근

-김 시 우-

눈과 비가 엄청 많이 왔다.
오늘은 진눈깨비
흰 눈이 샤라라라라
비는 또로록 또로록
밖이 너무 추워
당근이 얼었나 봐.
얼굴이 새빨갛다.
꽃향기, 흙 향기 나는 당근

눈도 보고, 당근도 보고

-박 윤 서-

펄펄펄 눈이 오는 날
쑤욱 당근을 뽑자.
오돌오돌 튀어나와 있는 당근
나도 오들오들 춥다.
당근이 추울까 봐
손에 꼭 잡고 온다.

아삭아삭
오독오독
야금야금
당근을 먹는다.
눈도 보고, 당근도 보고
오늘은 기분 좋은 날

눈이 오는 날 농부

-장 라 윤-

오늘 내가 좋아하는 게 3개나 겹쳤다.

금요일, 당근 수확, 첫눈까지!

금요일 마지막 5교시에

눈을 맘껏 구경했다.

그리고 당근을 수확했다!

오독오독! 달콤달콤!

눈 오는 날 농부가 되어

정말 좋다.

바나나같이 길쭉한 당근

-최준호-

첫눈 오는 날
눈이 사르르
비가 또르르
당근이 쏙 나와서
얼굴을 보여주고
연필처럼 길쭉

뿌리부터 회오리가 시작돼
점점 커졌다.
뿌리에는 털이 잔뜩